KB209885

웃는 버릇

창 비
청소년
시 선
43

웃는
버릇

김응 시집

창비

차
례

제1부

그렇게 어른이
되어 가는 것

제2부

아프다고 말하고 싶은데

제3부

마음이 서운한 날

제4부

별이 뜨면 좋겠어

제1부

그렇게 어른이 되어 가는 것

좋은 것은 자꾸 생각나

봄볕 좋은 날
옥상에서 함께 부르던 노래

소나기 쏟아지는 날
우산 속 너와 나의 발걸음

가을빛 나무 아래
발그레 물든 너의 얼굴

장갑 한 짝씩 나누어 끼고
손잡고 걷던 우리의 밤

지나가 버린 시간들은
떠올리려고 해도
촉이 나간 전구마냥
깜빡깜빡 잊는데

좋은 것은 자꾸 생각나

애쓰지 않아도 자꾸 생각나

나는 봄

시퍼렇지 않은
파릇파릇 봄

얼룩덜룩 아닌
알록달록 봄

웃자라지 않은
움트는 봄

산들산들 봄
촉촉한 봄

여름이 오기까지
나는 봄

봄을 봄
오래 들여다봄

햇볕이 되는 날

네모 창으로 쏟아지는 햇볕도 좋지만
그 햇볕이 바닥에 내려앉아
또 다른 네모를 만드는 것도 좋아
그 안에 들어앉으면
참 따뜻해
몸도 마음도

그런 한낮이 좋아

물들다

죠스바를 먹으면
금세 혀가 까맣게 물들어

봉숭아꽃으로 손톱을 물들이면
겨울이 와도 꽃물이 남아

그 애 곁에 있으면
내 마음까지 발그레 물들어

그 애가 웃으면 나도 따라 웃고
뾰족한 말들이 둥글게 나와

하늘과 바다처럼

하늘이 파래서
바다도 파란가 봐

네 마음이 맑아서
내 마음도 맑은가 봐

하늘이 어두워서
바다도 어두운가 봐

네 마음이 흐려서
내 마음도 흐린가 봐

겨울 지나고 봄

계절이 바뀌었다
옷장 문을 열었다

어느새 작아져 버린 옷
한때는 날마다 입었던 옷
지금은 나랑 어울리지 않는 옷

한참을 들여다봐도 골라내지 못했다
오랜 시간 꺼내지 않았지만 쉽게 내버릴 수 없는 것

옷장의 옷처럼 내 마음도
겨우내 웅크리고 있었다

어느새 훌쩍 커 버린 걸까
한때는 없으면 못 사는 사이였는데
지금은 나랑 어울리지 않는
오랜 시간 보지 않았지만 쉽게 지울 수 없는 친구

계절이 바뀌었다
겨울 지나고 봄

정말 맛있는 떡볶이 먹고 싶다

지난번에 먹은 떡볶이
정말 맛있었는데

오늘은 그냥 그렇더라

지난번엔 너랑 갔고
오늘은 혼자 갔는데

둘이 속닥거렸던
그때가 생각나더라
정말 맛있었는데

오늘은 그때랑 다르더라

지금은 다 아는 걸까

너랑 나랑 친구가 된 날
온종일 거리를 쏘다녔잖아
주머니 탈탈 털어
똑같은 모자 하나씩 사서 쓰고
뭐라도 된 것처럼
낄낄깔깔 건들건들
계속 걷고만 싶었어
멈추고 싶지 않았어
배가 고픈 줄도 모르고
발바닥이 아픈 줄도 모르고
시간이 가는 줄도 모르고
우리 그때 참 뭘 몰랐어
그래도 재밌었는데

날

날 선 날은
스치기만 해도
베인다

무딘 날은
무 하나
자르기 어렵다

무슨 말만 해도
톡 쏘아붙이는
오늘 너는
날 선 날

다 귀찮아서
아무것도 하기 싫은
오늘 나는
무딘 날

의자가 의자에게

의자가 학교에 간다
의자가 문제를 푼다
의자가 밥을 먹는다
의자가 수다를 떤다
의자가 버스를 탄다
의자가 멍을 때린다

오줌 한번 누지 않고
책상 앞에 붙박이가 된 날
의자에게 묻는다

너는 어떤 의자가 되고 싶니?

다행히 해가 따뜻했다

얼어붙은 마음을 어떻게 녹여야 하나
문제는 시간이다
시간이 지나면 녹지만
마음이 추우면 더디고
마음이 따뜻하면 빠르게
녹아내린다

사랑

너랑 바다에 가고 싶어

너랑 나 사이에
파도가 치고

너무 빠르지도 않게
너무 느리지도 않게

닿을 듯 말 듯
한 걸음 다가왔다 한 걸음 물러나고

너랑 나 사이에
오래 귀를 열고 싶은 소리가 나고

할 수만 있다면
너랑 바다에 가고 싶어

무엇이 잘못된 걸까

그럴 때가 많았어
마음 같지 않게 잘 못하고
기대치에 못 미치고
잘하려고 해도 잘 안 되고

오늘도 잔뜩 움츠리고 있었어

풀잎 같은 목소리로
선생님이 이야기하는데
눈물이 나는 거야

막대기 같은 말로
막 후려치지도 않았는데
막 눈물이 쏟아졌어

이 순간

어린 날 소풍길에서
아빠 손을 놓치고
헤맸던 적이 있다

물건값을 치르려는데
어디서 돈을 놓치고
빈손이었던 적도 있다

차를 타고 갈 때면
내려야 할 곳을 놓치고
지나친 적이 많다

지금 이 순간만은
놓치고 싶지 않다
주먹을 움켜쥐어 본다

내가 할 수 있는 것

키 작은 나무가
키 큰 나무에게
어깨를 기댄다

덩치 작은 고양이가
덩치 큰 개에게
살을 비빈다

힘들어 주저앉고 싶을 때
아빠 등에 업히면
별도 달도 딸 수 있을 것 같았다

눈물이 쏟아지려고 할 때
엄마 품에 안기면
하나도 쓸쓸하지 않았다

키가 자랄수록
몸집이 커질수록

나보다 작은 누군가에게

어깨를 내어 주고
등을 내어 주고
품을 내어 주는 것

그렇게 자라는 것
그렇게 커 가는 것
그렇게 어른이 되어 가는 것

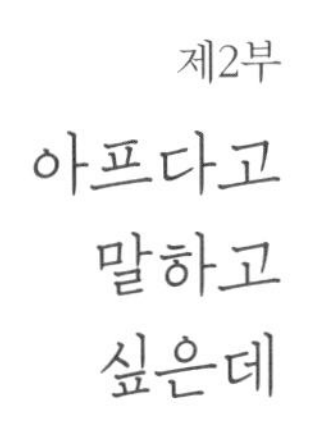

제2부

아프다고 말하고 싶은데

고고

어른들은 말하지
지금 이 순간만 지나면 된다고

그래 한번 가 보자고
그래 한번 믿어 보자고

나는 지금 참고
너는 지금 악물고
나는 지금 견디고
너는 지금 버티고
그래 우리 그러고

이대로 고고
앞으로 고고
위로 고고
시간도 가고 세월도 흐르고
그러면 우리는 자라고
나도 변하고 너도 변하고

어른들은 말하지
지금 이 순간만 지나면 된다고

그래 한번 가 보자고
그래 한번 믿어 보자고

괜찮은 척

괜찮아
괜찮아요

넘어져 피가 나도
부딪쳐 깨져도

친구들이 물어볼 때면
어른들이 걱정할 때면
거짓말이 튀어나온다

사실은 안 괜찮은데
아프다고 말하고 싶은데
힘들다고 말하고 싶은데

웃는 버릇

"참 착하게 생겼다."
처음 만난 사람이 나를 보며 말한다
"진짜 잘 웃는다."
가끔 만난 사람이 나를 보며 말한다

구구절절 설명하고 싶지 않아서
그늘진 나를 보이고 싶지 않아서
그냥 웃는다
더 활짝 웃는다

웃고 있으면
괜찮은 줄 안다
아플 때도
슬플 때도
심각할 때도
웃음이 터져 나온다
화를 내야 할 때도
얼굴은 웃는다

투명 인간

나 여기 있는데

아직 살아 있는데

분명 숨 쉬고 있는데

내가 안 보이나 봐

문을 쾅 닫았어

큰 소리로 떠들었어

허공에 대고 손짓 발짓을 했어

더 크게 웃고 더 크게 울었어

주변을 둘러보았어

누구는 스마트폰만 쳐다보았어

누구는 딴 곳을 바라보았어

누구는 창밖 먼 산을 보았어

누구는 눈을 감았어

나 여기 있다고

아직 살아 있다고

분명 숨 쉬고 있다고

온몸으로 소리쳐도

나를 알아보는 사람은 없었어

학교 밖에서

우리는 걸었다
무작정 걸었다

찬 바람이 몰아쳐도
소낙비를 맞으면서도
뜨거운 태양 아래서도

우리는 걸었다
무작정 걸었다

함께 손을 잡기도 하고
서로 팔짱을 끼기도 하고
빈 주머니에 손을 찔러 넣기도 하고

우리는 걸었다
무작정 걸었다

갇히지 않은 것처럼

묶이지 않은 것처럼
우리는 걸었다

시계처럼

하루 종일 뱅뱅 돌았어

돌고 또 돌았어

한 시간을 일 분씩 쪼개고

일 분을 일 초씩 쪼개고

쉬지 않고 돌았어

남들 놀 때도 돌았어

남들 잘 때도 돌았어

삼백육십오 일 멈추지 않았어

그러다 고장 나고 말았어

가슴이 콱 막혀 답답할 땐

한숨 쉬지 말고

한숨 돌리는 거야

한숨 자도 좋고

눈물의 맛

눈물은 짜다
소금처럼

눈물은 쓰다
약처럼

눈물을 맛본 사람은 안다
짠맛과 쓴맛을 안다

노력의 맛

참 맵다
정신이 바짝 든다

참 짜다
하는 만큼 준다

참 쓰다
뒤돌아볼수록

참 시다
절로 눈이 감긴다

참 달다
덕분에 여기까지 올 수 있었다

진짜 열심히 하면 될까요?

아빠는 뭐든 열심히 하라고 한다
공부도 운동도 밥 먹는 것도

진짜로 아빠는 뭐든 열심히 한다
새벽부터 저녁까지 트럭에 과일을 싣고
사람들을 불러 모으느라
열심히 말하고 열심히 손짓을 한다
쉬는 날에는 나랑 탁구도 열심히 친다
기분 좋은 날에는 노래도 열심히 부른다

그렇게 열심히 하다 보면
언젠가는 잘살 거라고
반드시 잘될 거라고
열심히 말한다

가끔은 술을 마시고 와서
남몰래 눈물을 흘리다
곯아떨어지기도 한다

그런 날에는

아빠가 팔다 남은

자두가 더 시게 느껴진다

이러다 갑자기

지난겨울에도
지지난 겨울에도
내내 입은 바지

접어 입던 바지가
어느새 한 뼘쯤 짧아졌다

그러고 보니
올려다보던 것들을
내려다보고 있다

바짓단이
복숭아뼈에 닿을까 말까
이러다 갑자기
어른이 되는 건 아닐까

발목이 시리다

겉모습만 보면

사람들은 나를
그저 착한 아이로
그저 순한 아이로
생각한다

사람들은
겉모습만 보고
멋대로 마음대로
생각한다

내 안에 살고 있는
호랑이를 만나기 전까지는

나의 운동화

학교 갈 때도 신고
친구 만날 때도 신고
즐거울 때도 신고
괴로울 때도 신고
비가 와도 신고
눈이 와도 신고
맨발로도 신고
구겨도 신고

날마다 신고 또 신고
닳고 또 닳은 밑창을 본다

오늘도 가장 밑바닥에서
묵묵히 나를 받쳐 주고 있다

주머니의 법칙

어떤 주머니도

계속 담을 수만은 없다

계속 비울 수만은 없다

무언가를 잃었다고 자책할 것도 없다

무언가를 얻었다고 자만할 것도 없다

하나를 얻으면 하나를 잃고

하나를 잃으면 하나를 얻는다

다림질을 하며

구겨진 교복만 입고 다녔다

난생처음
내 손으로
블라우스를 다린다

앞을 다리고 나면
뒤가 구겨지고
뒤를 다리고 나면
다시 앞이 구겨진다

사는 게 그런 것일까
앞만 보고 살다 보면
뒤가 구겨진 블라우스처럼
미련을 버리지 못하면
앞으로 나아갈 수 없는 것처럼

난생처음

나의 뒤를 돌아보고
나의 앞을 그려 본다

제3부

마음이
서운한 날

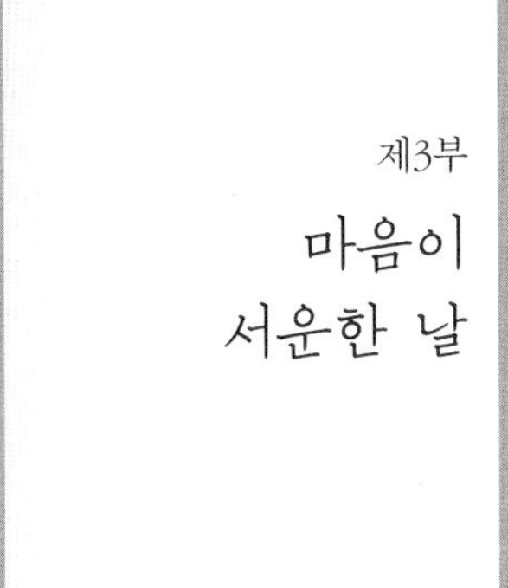

속 깊은 열다섯

속을 통 모르겠다고
속 좀 그만 썩이라고
어른들은 말하지만

어버이날에 학원 끝나고
카네이션 사러 가는
너를 보면

길거리 자선냄비에
동전이라도 넣는
너를 보면

다리에 깁스하고도
결석은 절대 안 하는
너를 보면

짐 들고 계단 오르는 할머니한테
가장 먼저 달려가는

너를 보면

누가 뭐래도
속 깊은 열다섯이다

키 높이 신발을 신고

오 센티 높은 곳에서
내려다본 세상

변함없는 학교
그대로인 친구들

키가 한 뼘쯤
더 크거나
더 작아도
다르지 않다

우리끼리
내려다보거나
올려다보아도
다를 게 없다

우리가 올려다봐야 할 것은
저 푸른 하늘

손의 힘

눈물을 닦아 주는 손

어깨를 토닥여 주는 손

등을 쓰다듬어 주는 손

어떤 말보다 힘이 세다

우리는 보호받을 수 있을까

길을 가는데
삼삼오오 몰려가는 아이들이
마스크를 턱에 걸치고
욕을 하며 큰 소리로 떠들었어
가래침을 아무 데나 뱉었어

누구든 건드리기만 해 봐
온몸에 가시가 돋은 듯했어

나 좀 보라고
아우성치는 듯했어

죽어 가는 얼굴이
살기 위해 애쓰는 듯했어

앰뷸런스가 사이렌을 울리며 달려왔어
순간 보행 신호등이 빨간색에서 초록색으로 바뀌었지만
앰뷸런스는 사이렌을 울리며 지나갔어

삼삼오오 몰려가는 아이들이
마스크를 올려 쓰지도 않고
또 욕을 하며 큰 소리로 떠들었어
또 가래침을 아무 데나 뱉었어

나는 한 발짝 떨어져 갔지만
그 아이들과 더 멀어질 수는 없었어

주문을 외다

나는 잘 알고 있는 걸까
나는 잘하고 있는 걸까
나는 자라고 있는 걸까

바람이 불면 흔들리는 건 당연해
꼿꼿하게 버티고 서서
흔들리지 않으려고
안간힘 쓰기보다
바람결을 느끼고
바람의 문을 열고
바람의 등을 넘어
바람길을 걷는다

나는 잘 알고 있다
나는 잘하고 있다
나는 자라고 있다

장래 희망

돈과 힘을
좇아 앞서가는
머리보다는

좌로 우로
줏대 없이 흔드는
꼬리보다는

옆도 뒤도
품는 뜨거운
가슴이 되자

개나 사람이나

어떤 개는
태어나자마자
금이야 옥이야
가려 먹고
가려 자고

어떤 개는
한평생
눈치코치 보며
아무거나 먹고
아무 데서나 자고

개나 사람이나
다를 게 없다

목줄

묶여 있다 보면
무기력해지다가
벗어나고 싶어
사나워지다가
아무나 보고
짖어 대다가
또다시 무기력해지다가
벗어나고 싶어
또다시 사나워지다가
아무나 보고
또다시 짖어 댄다

목줄 길이만큼
하루하루를 보낸다

하루살이

하루살이들이
불빛을 향해
방충망을 비집고
들어온다

오늘 밤이 지나면
소용없다는 듯

반드시
기필코
꼭
어둠 속을
벗어나려고

죽을힘을 다해
온몸을 바친다

속상하다

어젯밤
잠들지 못할 만큼
속상했다면

오늘은
밥부터 잘 챙겨 먹자
속 상하지 않게

나한테 없는 것

돈이 아니라
시간이 아니라
마음이 아닐까

하고 싶은 마음
가고 싶은 마음
만나고 싶은 마음
사랑하고 싶은 마음

무수한 마음들을 모른 체하고
나는 지금도 핑곗거리를 찾고
그것들을 탓하고 미워하고 있다

균형

오른팔 왼팔
비슷한 듯 다른 두 개가
균형을 이루듯

내 안에는
못하는 것만큼
잘하는 것도 있다

내 모습에는
못난 것만큼
잘난 것도 있다

그래서
지금도
버티고 서 있는 것

마음이 서운한 날

비가 오면 좋겠어요
내 마음 알아주듯
함께 울어 주니까요
한바탕 쏟아지면 좋겠는데
비는 오지 않고
꽃잎이 하나둘 떨어집니다
톡 톡
빗방울처럼
소리는 없지만
어깨를
손등을
두 볼을
가만히 스치고 갑니다

그걸로 됐습니다
마음이 조금 나아졌습니다

물방울이 모여

나는 작은 물방울이에요
조금만 추워도 얼어 버려요
조금만 더워도 말라 버려요

시베리아 벌판에서도
아프리카 사막에서도
살아남으라고
강요하지 마세요

나는 작은 물방울이에요
새벽에 피어나는 이슬방울처럼
두 눈을 적시는 눈물방울처럼
그렇게 살고 싶어요

반전

길이 막히면
나는
거울을 들여다본다

그 속에 내가 있다
내 얼굴이 있고
내 팔이 있고
내 다리가 있다

내 왼쪽 눈은 오른쪽 눈이 되고
내 오른쪽 눈은 왼쪽 눈이 되고
내 왼쪽 귀는 오른쪽 귀가 되고
내 오른쪽 귀는 왼쪽 귀가 되고

내가 왼쪽 팔을 들면
거울 속 내가 오른쪽 팔을 든다
내가 왼쪽 다리를 움직이면
거울 속 내가 오른쪽 다리를 움직인다

길이 막히면

나는

나를 들여다본다

제4부

별이 뜨면 좋겠어

안녕

눈을 뜨는 것

눈을 깜빡이는 것

신을 신고 걷는 것

숨이 차도록 뛰는 것

책을 펼치는 것

컴퓨터를 켜는 것

누군가의 손을 잡는 것

누군가에게 손을 흔드는 것

밤하늘을 보는 것

별을 찾는 것

눈 감을 때까지

나에게

세상에게

안부를 묻는 것

한 끗 차이

뜻대로 안 되면
튀어나오는 말
망했어
또 망했어

입버릇처럼
망했어
또 망했어

나도 모르게
희망보다 절망을
먼저 떠올린다

처음

처음이란 말에는
두려움도 있고
설렘도 있다

두려움이 앞서면
벽이 되고
설렘이 앞서면
문이 된다

나는

드라마를 보는 것보다
드라마틱한 일을 좋아하고

입을 열어 떠드는 것보다
귀를 기울이는 것을 멋지다 여기고

힘은 없지만
다 같이 힘이 필요할 때는
힘 나는 말을 할 줄 알고

시시한 것들보다
심심한 것들과 친하게 지내고

꼬리에 꼬리를 물고 생각하는 것을 즐기고
그 생각이 깊은 수렁에 빠져 허우적대기도 하고

자주 지치면서도
자주 지는 것을 두려워하지 않고

속을 보여야 할 때는
말하는 것보다 쓰는 게 편하고
쓰지 못할 때는
하염없이 마음에 담아 두고
끙끙 앓다 꽁꽁 싸매 두기도 하고

커다란 것들이 가득한 세상에서
작은 것들을 눈 밖에 두지 않고

조금 다행인 건
시간이 갈수록
싫어하는 것보다 좋아하는 게 늘어나고
그래서 오늘도 살 만했다고
내일을 기다리고

ㅋㅋㅋ

좋아도 ㅋㅋㅋ

싫어도 ㅋㅋㅋ

기막힐 때도 ㅋㅋㅋ

어색할 때도 ㅋㅋㅋ

진짜로 웃겨도 ㅋㅋㅋ

가짜로 웃겨도 ㅋㅋㅋ

누구나 아는 ㅋㅋㅋ

나만 아는 ㅋㅋㅋ

주객전도

눈을 뜨는 순간부터
눈을 감을 때까지
나를 가만히 두지 않는

깊고 깊은 세계로 빠져들 때도
진동 한 방으로
나를 깨우는

언제나 바짝
내 목줄을 잡고 있는
스마트폰

끝없는 생각

너는 예쁜데 나는 왜 못생겼을까
너는 말을 잘하는데 나는 왜 버벅댈까
너는 키 크고 날씬한데 나는 왜 짜리몽땅할까
너는 돈이 많은데 나는 왜 맨날 빈 주머니일까
너는 인기가 많은데 나는 왜 늘 혼자일까
너는 잘나가는데 나는 왜 멈칫거릴까
너는 꿈이 큰데 나는 왜 꿈조차 없을까

네가 내가 되고
내가 네가 되어도
끝없이 생각할까

나쁜 말

나쁜 말이 나쁜 아이 나쁜 친구 나쁜 사람을 만들었다
한순간 한마디로 나쁜 놈이 되었다
보이지도 않는데
점점 부풀어 커지고
만질 수도 없는데
제멋대로 뒤틀리고
발이 수백 개 달렸는지
재빠르게 돌아다녔다
멀리까지 달려갔다

나쁜 말에 빠진 사람들은
진실을 보지 않았다
사실을 외면했다

가짜는 진짜가 되었고
진짜는 가짜가 되었다

싸움은 술래

술래는 아이들을 찾지
싸움이 싫어서 숨은 아이들을

지금 말고
따뜻한 날 싸우자

여기 말고
따뜻한 곳에서 싸우자

그런 말 말고
따뜻한 말로 싸우자

우리 떨고 있잖아
따뜻하게 입고 싸우자

우리 배고프잖아
따뜻하게 먹고 싸우자

술래가 오기 전에
얼음을 외치고 멈추자
술래를 피해
땡을 외치고 달아나자

술래에게 붙잡히지 말자

경고

집 앞에 나갈 때도
꼭 가지고 다니는 가방
언제 어디서든
꼭 끌어안고 있는 가방

무엇이 들었는지
궁금해하지 말아요
가벼우면 가벼운 대로
무거우면 무거운 대로
짊어질 수 있으니까요

마음대로 뒤지지 말아요
속을 뒤집어 까 보지 말아요

마음을 쓰다

은행 갈 때면
꼭 내 손을 잡고 가는
할머니는 글자도 숫자도 모른다

읽지도 쓰지도 못하지만
도움받은 사람들은 잊지 않는다
명절 때면 고마운 이들에게
작은 양말 상자라도 건넨다

숫자로 더하기 빼기를 셈하지 않아도
마음 더하기 마음, 마음 나누기 마음에 대한 답을 안다
글자로 마음을 쓰지는 못해도
사람들은 할머니가 쓴 마음을 읽는다

길을 가다

같은 길에서
어제도 넘어지고
오늘도 넘어졌다

어제는 차가운 얼굴로
길바닥을 원망하고
오늘은 사나운 말로
돌부리를 원망하고

길에 돋아난 뿔들을 탓했다

고개를 들어 보니
울퉁불퉁한 내 얼굴에
한 줄기 바람이 불어왔다
한 줄기 햇살이 닿았다

부드러운 바람은
따뜻한 햇살은

아무리 모난 길도
감싸며 지나갔다

깜깜한 밤

아무것도 보이지 않아
두렵기만 했어
눈을 질끈 감았지
아무것도 보지 않으려고

보이지 않는 것과
보지 않으려는 것은
무엇이 다른 걸까
아니면 같은 걸까

눈앞이 캄캄하고
앞날이 막막하고
깜깜한 밤에
나 홀로 있는 것처럼

그런 날이 있잖아
나만 보이지 않는 건지
나만 보지 못하는 건지

알 수 없는 날

그런 밤에는
별이 뜨면 좋겠어
어두울수록 더
빛나는 별

징검다리

징검다리를 건널 때면
괜스레 즐겁다
두근두근 설렌다
쭉 뻗은 다리를 건너듯
후다닥 달려갈 수 없다

너와 나 사이에
돌을 놓는다

뛰어넘지 않을 거야
천천히
하나씩
건너갈게
내가 도착할 때까지
네가 그 자리에 있으면 좋겠어

틈

책장에서 폼만 잡는 책들을 빼고 나니
빽빽하고 꼿꼿하게 서 있던 책들 사이에
틈이 생겼다

어떤 책은 다른 책에 기대기도 하고
어떤 책은 옆자리를 채울 책을 기다리기도 하겠지
가끔은 바닥에 엎드려 낮잠을 자는 책도 있겠지
천장을 보고 누워 딴생각을 하는 책도 있겠지
그 틈에 글자들은 책 밖으로 나와
책과 책 사이를 걷기도 하고 뛰놀기도 하겠지
내 마음에도 닿아 새로운 이야기를 만들어 나가겠지

해설

속 깊은 열다섯의 진짜 이유

김유진 동시인·문학 평론가

열다섯의 이름과 얼굴

청소년을 가리켜 '중2병'이라고 하는 말을 들을 때마다 늘 미안했다. 혐오 표현이라 할 이 말은 어른들이 청소년을 타자화하는 언어라고 생각했기 때문이다. '사춘기', '질풍노도의 시기', '주변인', '경계인'……. 지금까지 청소년의 특성을 규정하던 여느 말과는 달랐다. 청소년기의 특성을 희화화하며 청소년을 그 안에 가두는 의미가 짙었다. 생의 한 시기만의 성향이 있고, 그 성향이 조금 유별나다고 해도 그걸 희화화해서는 안 된다. 사람이나 집단을 지칭하는 언어는 중요하다. "나쁜 말이 나쁜 아이 나쁜 친구 나쁜 사람을 만들"고 "한순간 한마디로 나쁜 놈이 되"(「나쁜 말」)기 때문이다. 언어가 사람을 정의하고 가둘 때 언어의 그물에서 빠져나가기란 쉽지 않다.

대개 규정당하는 이는 규정하는 이보다 힘이 없다. 그래서 청소년은 자신에 대한 편견에 그저 웃고 만다. 좋아도, 싫어도, 기막힐 때도, 어색할 때도, 진짜로 웃겨도, 가짜로 웃겨도 늘 'ㅋㅋㅋ' 하고 웃어넘긴다(「ㅋㅋㅋ」). 아플 때도, 슬플 때도, 심각할 때도, 화를 내야 할 때도 웃는다(「웃는 버릇」). 주변에 울타리를 치고서 타인과 교류하길 원치 않는 자조의 웃음은 아닌 듯하다. "사람들은/겉모습만 보고/멋대로 마음대로/생각한다"(「겉모습만 보면」)고 여기기 때문 같다. 어떤 때는 '중2병'이라고 비웃고 손가락질했다가 어떤 때는 "그저 착한 아이로/그저 순한 아이로"(「겉모습만 보면」) 규정하니까 "구구절절 설명하고 싶지 않아서"(「웃는 버릇」) 웃고 마는 것이다. 어른에게 손쉽게 자기 존재를 규정당하는 데 대한 방어적 항거다. 방어적이기는 해도 그들에게는 결코 소극적이지 않고 가장 적극적인 대항일 수 있다. 자기보다 힘이 센 사람의 시선과 언어에 맞서는 방법이 이것 말고 또 뭐가 있을까.

이 시집은 웃고 있다고 웃는 게 아닌 청소년의 얼굴을 가만히 바라본다. 열다섯을 '중2병'이라 하지 않고 "속 깊은 열다섯"이라고 부른다. "어버이날에 학원 끝나고/카네이션 사러 가는", 사랑에 감사할 줄 아는 열다섯과 "다리에 깁스하고도/결석은 절대 안 하는", 성실한 열다섯과 "짐 들고 계단 오르는 할머니한테/가장 먼저 달려가는", 남을 돕는 열다섯을 발견한다(「속 깊은 열다섯」). 부모님을 사랑하고, 노인을 돕고, 학업에 충

실한데도 맨날 '중2병'이라고 손가락질당하는 청소년의 얼굴을 바로 보게 해 준다. 남들이 규정하고 야단치는 말에 신경 쓸 거 없어, 너는 멋진 사람이야, 하면서 어깨를 다독인다.

착한 청소년에게만 그러는 게 아니다. 착한 청소년이 되라고 가르치는 게 아니다. 거리에서 욕을 하며 큰 소리로 떠들고 법규를 어기는 청소년의 얼굴에서는 무엇을 보았나.

누구든 건드리기만 해 봐
온몸에 가시가 돋은 듯했어

나 좀 보라고
아우성치는 듯했어

죽어 가는 얼굴이
살기 위해 애쓰는 듯했어

(중략)

나는 한 발짝 떨어져 갔지만
그 아이들과 더 멀어질 수는 없었어

—「우리는 보호받을 수 있을까」 부분

이 시는 청소년의 얼굴에서 "살기 위해 애쓰는" 전심전력을 읽는다. 목숨 가진 존재가 최선을 다해 살아가는 분투를 알아챈다. 시의 제목인 '우리는 보호받을 수 있을까'라는 반문은 보호받고 싶다는, 내치지 말아 달라는 침묵의 외침으로 들린다. 응급 환자를 이송하는 앰뷸런스의 사이렌처럼 주변을 요란하게 뒤흔드는 그들의 아우성은 응급 신호다. 그러니 화자는 그들에게서 멀리 떨어지지 못한다. 그 얼굴을 읽고, 그 목소리를 들었는데 어떻게 마음 편히 제 갈 길을 갈 수 있을까. 손쉽게 '중2병'이라는 딱지를 붙여 버리고 발길을 돌릴 수가 없는 것이다.

열다섯이라는 시간

이 시집은 청소년의 얼굴을 읽고 그들의 이름을 새로 부르며 그들의 시간까지 찬찬히 살핀다. 청소년기는 아동기와 성년기 사이에 흐르는 시간이다. 청소년에게는 아동기를 건너오고 성년기를 예상하는 가운데 생겨나는 시간 감각이 있다. 생의 첫 번째 시기를 지나온 뒤 그 시간이 축적된 걸 바라보는 감각은 어린이와 명확히 다르다. "그때 참 뭘 몰랐어"라며 지나온 시간을 돌아보는 동시에 "지금은 다 아는 걸까"(「지금은 다 아는 걸까」)라고 반문하며 앞으로 더 많은 시간이 기다리고 있다는 걸

상기한다.

시간을 인식하고 감각하는 일은 종종 타자와의 만남에서 일어난다. 친구와 거리를 쏘다니던 어느 하루, "시간이 가는 줄도 모르고"(「지금은 다 아는 걸까」) 재미있었던 그날을 기억하면서 시간의 흐름을 느낀다. 시간이 가는 줄도 모를 정도로 즐거웠던 순간을 회상하며 시간을 감각하는 아이러니는 큰 축복이자 선물이다. 거기에는 친구가 있다. 친구와의 만남이 시간과 존재를 동시에 감각하게 했다. 그때는 뭘 몰랐던, 그러나 아직도 다 알지는 못하는 '나'라는 존재를 일깨웠다.

하지만 같은 강물에 발을 두 번 담글 수 없듯 시간은 흐르고 세계는 변한다. 작아져서 입지 못하게 된 옷처럼 변해 버린 관계가 따른다. "어느새 훌쩍 커 버린 걸까/한때는 없으면 못 사는 사이였는데/지금은 나랑 어울리지 않는/오랜 시간 보지 않았지만 쉽게 지울 수 없는 친구"(「겨울 지나고 봄」). 화자는 자신이 훌쩍 커 버린 시간과 그 시간으로 변화한 관계를 감지한다. 변한 건 아는데 지우지는 못한다. 작아져서 입지 못하는 옷을 버릴 수 없듯이, 실은 버리지 않아도 되듯이. 그럼에도 "계절이 바뀌었다/겨울 지나고 봄"(「겨울 지나고 봄」)이라며 이미 하나의 문턱을 넘은 시간에 순응한다.

이렇듯 청소년에게는 한 시기를 건너온 다음에 알게 된 시간 감각이 있다. 시간은 흐르고, 나는 변한다. "시간도 가고 세월도 흐르고/그러면 우리는 자라고/나도 변하고 너도 변하고"(「고고」). 그 시간을 믿고 청소년은 자란다. 조금만 더 버텨서 이 순간만 지나면 된다는 어른들의 말을 의심하면서도 "한번 가 보자고", "한번 믿어 보자고"(「고고」) 다짐한다. 어른을 따르고 믿어서라기보다는 시간을 신뢰해서다. 학교 안에서는 일분을 일 초씩 쪼개며 온종일 뱅뱅 도는 시간이지만(「시계처럼」) 학교 밖에서는 갇히거나 묶이지 않고 무작정 걸을 수 있는 시간이어서다(「학교 밖에서」). 한자리에서 맴도는 쳇바퀴의 시간이 아니라 끝을 알 수 없는 걸음으로 용기 있게 나아가는 직선의 시간, 그 시간을 믿기 때문이다.

청소년은 시간을 믿고, 자라고, 꿈꾼다. 시간은 저절로 흐를 테니 의자처럼 한자리에 가만히 있어도 언젠간 이 시간에서 탈주하게 될 거라고 마냥 기다리지 않는다. 아동기와 성년기 사이에 놓인 청소년기만의 시간 감각으로 "난생처음/나의 뒤를 돌아보고/나의 앞을 그려 본다"(「다림질을 하며」). 어린이였던 시간을 통해 어른으로 살아갈 시간 속의 나를 구상한다.

힘들어 주저앉고 싶을 때
아빠 등에 업히면
별도 달도 딸 수 있을 것 같았다

눈물이 쏟아지려고 할 때
엄마 품에 안기면

하나도 쓸쓸하지 않았다

키가 자랄수록
몸집이 커질수록
나보다 작은 누군가에게

어깨를 내어 주고
등을 내어 주고
품을 내어 주는 것

그렇게 자라는 것
그렇게 커 가는 것
그렇게 어른이 되어 가는 것

—「내가 할 수 있는 것」 부분

열심히 하는 진짜 이유

나보다 작은 이에게 나를 내어 주는 일이 성장이고, 그럴 수 있는 사람이 어른이라고 믿지만 세상이 녹록지 않다는 걸 열다섯도 물론 안다. "어떤 개는/태어나자마자/금이야 옥이야/가려 먹고/가려 자고//어떤 개는/한평생/눈치코치 보며/아무거나 먹고/아무 데서나 자고//개나 사람이나/다를 게 없다"(「개나 사람이나」)는 인식은 철저하다 못해 처절하다. 아빠는 공부도, 운동도, 밥 먹는 것도 열심히 하다 보면 언젠가는 반드시 잘 살고 잘될 거라고 말한다. 하지만 내게 떠오르는 건 의문문이다. "진짜 열심히 하면 될까요?"(「진짜 열심히 하면 될까요?」). 이 문장은 두 갈래로 해석될 수 있다. 열심히 하면 금과 옥같이 살 수 있다는 걸 확답받고 싶은 희망. 그와 반대로, 태어나자마자 정해지는 걸 열심히 한다고 되겠냐는 체념. 희망과 체념 사이에서는 당연히 희망을 선택하는 게 마땅한가.

이 시집은 그렇게 말하는 것 같지 않다. 희망과 체념 어느 한 쪽을 선택해야 하는 구조 자체를 가뿐히 벗어난다. "살아남으라고/강요하지 마세요", "새벽에 피어나는 이슬방울처럼/두 눈을 적시는 눈물방울처럼/그렇게 살고 싶어요"(「물방울이 모여」)라고 자신의 길을 분명하고 당당하게 선언한다. 무조건 열심히 하면 된다고 말하는 구조를 떠나고, 싸움판을 거부하며 달아난다.

술래는 아이들을 찾지
싸움이 싫어서 숨은 아이들을

지금 말고
따뜻한 날 싸우자

여기 말고
따뜻한 곳에서 싸우자

그런 말 말고
따뜻한 말로 싸우자

우리 떨고 있잖아
따뜻하게 입고 싸우자

우리 배고프잖아
따뜻하게 먹고 싸우자

술래가 오기 전에
얼음을 외치고 멈추자
술래를 피해
땡을 외치고 달아나자

술래에게 붙잡히지 말자

—「싸움은 술래」 전문

어떤 싸움이기에 아이들이 숨을까. 지금까지 읽은 다른 시

들로 미루어 볼 때 온 존재로 살아 보려고 분투하는 노력을 말하는 건 아니다. 자기보다 작은 이와 연대하는 투쟁 역시 해당되지 않는다. 아이들이 숨는 싸움은 어른들이 만든 구조에서의 싸움, 더 많이 차지하려면 지금부터 싸워 이길 힘을 길러야 한다고 등을 떠미는 싸움이다. 열심히 하면 금과 옥으로 가려 먹고 가려 잘 수 있다고 유혹하는 자본의 유령이 온 사회를 헤집으며 술래로 따라붙는 싸움. 그 싸움에서 지는 사람은 아무리 열심히 했어도 열심히 하지 않은 사람이 된다.

그래서 아이들은 함께 술래에게서 멀리 달아난다. 지금은 추워 떨고, 배고프다는 자각에서다. 우리끼리 싸울 일이 아니다. 술래에게서 도망치지 않는 한 추위와 허기는 영영 사라지지 않을 것이다. 술래에게 잡히면 새롭게 술래가 되어 서로의 발목을 붙잡아 끌어내리게 될지도 모른다. 그걸 공정과 평등이라고 착각하면서. 이 시집은 "우리끼리/내려다보거나/올려다보아도/다를 게 없다"며 "우리가 올려다봐야 할 것은/저 푸른 하늘"(「키 높이 신발을 신고」)이라고 가리킨다.

'얼음'과 '땡'을 외치며 서로를 구원하고 멀리멀리 달아난 아이들이 햇볕에 도달하면 좋겠다. "그 안에 들어앉으면" "몸도 마음도" "참 따뜻해"지는 "그런 한낮"(「햇볕이 되는 날」)의 땅에서 열다섯으로 살아가기를.

시인의 말

나는 얼굴이 하얗고 볼에 주근깨가 있다.
눈꼬리가 처지고 눈도 코도 입도 작다.
화장을 해 보고 눈을 부릅떠 본다.
콧구멍을 벌름대고 소리쳐 본다.
그래도 나는 나다.
웃지 않아도 소리 내어 웃어도
울지 않아도 악쓰며 울부짖어도
나는 나다.

어제의 나에게,
고개 숙이지 않아도 괜찮아.
누가 알아주지 않아도 괜찮아.
얼마나 힘들고
얼마나 애쓰고
얼마나 마음 아파했는지
나는 알아.
잘 견뎌 온 거야.
잘 버텨 낸 거야.

조금 아쉬우면 어때.

조금 모자라면 어때.

꽉 차면 더 채울 수 없잖아.

완벽하면 더 할 게 없잖아.

덕분에 오늘의 내가 있어.

어제의 내가 길을 잃지 않고

오늘의 나를 마주할 수 있게 해 준

나의 벗들에게 고맙다.

나도 기꺼이 그런 벗이 되고 싶다.

웃어도 웃지 않아도 울어도 울지 않아도

곁을 내어 주는 벗.

2023년을 시작하며

김웅

창비청소년시선 43
웃는 버릇

초판 1쇄 발행 • 2023년 1월 20일

지은이 • 김웅
펴낸이 • 강일우
편집 • 한아름 박문수
조판 • 이주니
펴낸곳 • (주)창비교육
등록 • 2014년 6월 20일 제2014-000183호
주소 • 04004 서울특별시 마포구 월드컵로12길 7
전화 • 1833-7247
팩스 • 영업 070-4838-4938 / 편집 02-6949-0953
홈페이지 • www.changbiedu.com
전자우편 • contents@changbi.com

ISBN 979-11-6570-182-6 44810

* 책값은 뒤표지에 표시되어 있습니다.